AS CIDADES DO BRASIL SALVADOR

PUBLIFOLHA

AS CIDADES DO BRASIL SALVADOR

fotos Eder Chiodetto textos Tom Zé

EDITOR Arthur Nestrovski
ASSISTÊNCIA EDITORIAL Julia Duarte
CAPA E PROJETO GRÁFICO Mayumi Okuyama
PRODUÇÃO GRÁFICA Soraia Pauli Scarpa
REVISÃO José Muniz Jr.
VERSÕES Fernando Ortiz (espanhol)
e Regina Alfarano (inglês)

Dados Internacionais de Catalogação na Publicação (CIP)
(Câmara Brasileira do Livro, SP, Brasil)

Salvador / fotos Eder Chiodetto ; textos Tom Zé. –
São Paulo : Publifolha, 2005. –
(As cidades do Brasil)

ISBN 85-7402-637-9

1. Fotografias – Salvador (BA) I. Chiodetto,
Eder. II. Zé, Tom. III. Série

05-7824 CDD-779.998142

Índices para catálogo sistemático:
1. Salvador : Bahia : Fotografias 779.998142

PUBLIFOLHA
Divisão de Publicações do Grupo Folha

Al. Barão de Limeira, 401, 6º andar,
cep 01202-001, São Paulo, SP
Tel.: (11) 3224-2186/2187/2197
www.publifolha.com.br

Tom Zé e a Publifolha agradecem aos consultores
Carlos Dratovski, Salomão Gorenzvaig,
Marcos Botelho e Valdemar Szaniecki.

BAHIA, DÉCIMA SINFONIA: CIDADE DO SALVADOR, PROTEÇÃO DAS PROSTITUTAS*

Sucinto é o mito.

Insulto seria crer a graça e glória da Bahia feitas ao feitio daquelas tias rabujentas que a epopéia da oficialidade reza.

Injúria! Saltam ao palco, com os verdadeiros protagonistas, dois episódios que salvaram os costumes morais e preservaram cada praça, igreja ou monumentos aqui fotografados. Acontecimentos importantes, completamente ignorados pela história oficial.

Muitos nem sabem que, apesar de ter o Brasil se tornado independente em 7 de Setembro, a Bahia continuou sua luta contra as forças portuguesas; e a vitória só se consumou em 2 de Julho do ano seguinte, 1823. Mas o grande herói dessa vitória não foi o general Labatut nem qualquer outro oficial comandante das forças baianas. Foi o Corneteiro.

Assim: quando os quadros malmente militarizados que lutavam pela Bahia estavam em total desvantagem, praticamente derrotados, Labatut, para evitar morticínio inútil, chamou o Corneteiro e ordenou o toque de retirada. Não se sabe por quê, o Corneteiro tocou "avançar cavalaria", o que era um absurdo, já que não havia cavalaria nenhuma.

* *Para traducción en castellano, ver p. 95* * *For English translation, see p. 100*

Mas as forças portuguesas, ouvindo o toque, ficaram confusas. Estabeleceu-se tal desordem em suas fileiras que, apavoradas, elas logo recuaram em debandada, entregando as armas, em rendição definitiva e incondicional.

Estava proclamada a independência da Bahia.

Essa é a verdade sobre a vitória de 2 de Julho. Porém, no que se refere à preservação da independência, a história oficial também omite fatos relevantes. Tão relevantes que a simples narrativa deles poderia explicar por que em Salvador, como se verá nesta sucessão de fotos, toda hora se fala em Cidade Alta e Cidade Baixa. Que diabo vem a ser isso?

É que na época de nossa fundação era preciso encontrar um lugar estratégico para construir qualquer cidade, objetivando protegê-la.

Em nosso caso e ocasião, o principal perigo provavelmente chegaria pelo mar. Portanto, o corpo nobre do burgo – quer dizer, o palácio do governo, a Igreja da Sé e sua cúria, os prédios da administração com seus altos funcionários, chefiados pelos potentados da corte, as Câmaras – tudo se instalou sobre a elevação natural, acima de uma escarpa de acesso muito difícil. Por isso o nome Cidade Alta, desfrutando vigilante e ampla visão da Baía de Todos os Santos e do porto. Lá, no nível do mar, a população ligada ao porto logo recebeu, avizinhadas, algumas vilas de pescadores e o agrupamento passou a se chamar Cidade Baixa.

Depois de alguns séculos essa estratégia de defesa se mostraria completamente inoperante e obsoleta. Veja, por exemplo, durante a Segunda Guerra Mundial, quando chegavam ao porto navios abarrotados de marinheiros, americanos ou autóctones. Eram navios amigos, sem dúvida,

Da Cidade Alta salta ao sol
martelo que toda tarde
arde sobre o Forte São Marcelo.

De la Ciudad Alta salta al sol
martillo que toda la tarde
arde sobre el Fuerte San Marcelo.

From the High City the hours
strike every afternoon
Over São Marcelo Fort.

mas se as filhas dos magnatas da nobreza, se as moças da casa de Jesus-José-e-Maria, se as meninas do colégio de dona Anfrísea, se as jovens professoras, se as próprias freiras, ocupadas com a educação e a salvação dessas almas – enfim, se todas as mulheres recebessem de frente cada um desses navios, considerando o jejum que a vida marítima impõe a seus afeiçoados, seria uma temeridade. Por mais que elas estivessem protegidas dentro de muros, grades e paredes ou até, e mais ainda, por predicações morais, sempre acabariam sofrendo aquela devastação que toda cidade portuária conhece. Tais relatos enchem páginas de romances e rolos de fita de cinema que Hollywood explorou durante a guerra. Veja-se também, nos filmes de Rosselini, uma Roma devassada e submetida a toda espécie de vicissitudes.

Quando os marinheiros avançavam aceleradamente, armados da força de sua prolongada contenção; quando marchavam contra a cidade, na caça obsessiva a qualquer coisa que vestisse saia; quando eles subiam as escarpas para alcançar a Cidade Alta... Oh, Deus! Salvador estaria perdida, se não fosse criada, com urgência, uma nova e eficiente estratégia defensiva.

Pensem naquela turma sedenta subindo resfolegante na direção certa, no desiderato exato, para o alto, para o alvo. Para o peludo púbere que qualquer saia, em sua imperícia de falida convenção civilizada, tivesse a ilusão de proteger.

Oh, Pai! Veja a cidade lá em cima, desvalida, e esse temporal sem moral com que o mar ameaça a bela terra alçada ao sol para servir o Salvador.

E lá vem! Lá vem a turba naquela sina suarenta, assumindo a serra para o assalto. Lá vem, no contorno da subida absorto, aquele farto Eros multiplicado e uno. Resfolega nele a sede de sacrifício, ritmando o fole bufante que sibila nos caninos e arfa nos pré-molares. Pense na rijeza daquele rol de músculos curtidos a sal e sol; pense cada uma daquelas alas de pernas entroncadas no atropelo das vagas; nos dedos calosos acostumados a costurar nas velas o velocino de Jasão, enquanto em lufada noturna se retorce o sopro de Netuno. E era já!

Seja hora de dizer aquele popular incoerente "sai de baixo que o diabo vai extrapolar!".

Era justamente nesse momento desesperado, com a turba já à cabeceira de seus dosséis, já com as virgens trêmulas no horror do fascinante-em-gritos, procurando o pranto que protege os prazeres abomináveis, provados e provando que o avesso do abismo é uma pia de batismo, onde o insosso engole o temperado para a troca de papéis que do inocente faz surgir o sanguinário. E era já.

Era pois neste relâmpago que é todo desgraça, praga e maldição – embora a sábia natureza tudo aceite em seu azeite – era justamente nessa hora do desastre consumado, nesse átimo de destempo em que o gatilho puxado já espeta a espoleta...

As defensoras

Aí, ó milagre do divino! Aí a cidade do Salvador apresentava sua resistência. Era uma nova e eficiente estratégia de defesa, desavisadamente fortificada ali havia muito tempo. Um desfiladeiro das Termópilas, um círculo de giz caucasiano, um anel de Nibelungo, um laço mágico de puteiros, instalados na escarpa sem arauto ou arrogância. Sem patentes ou prepotência, sem metais ou matulagem militares, sem portais ou portarias, na escarpa livres e alados com suas portas em alas abertas.

Sobrados triviais literalmente incrustados como um anel em volta da serra, em proveito de quando o serpenteio suavizava o paredão amurado, dando acesso à parte elevada do burgo.

E as defensoras? Ninguém veria nelas nem a sombra de um recruta, quanto mais saber que cada uma era Maria Quitéria ou valia uma Joana d'Arc, cuja chama de fogueira sacrificial ela convertera, por assunção e posse, em sua própria arma de ataque, já que tinha sob seu controle uma fornalha engatilhada entre as pernas, quase externa, na base fronteira do osso ilíaco. Com a vantagem de que ali cada Maria podia ser, agora com orgulho, uma Maria-batalhão.

"Como?, qual nada!", duvidará qualquer engenheiro militar, denegrindo a eficiência desse engenho bélico. "Basta os assaltantes tomarem a subida oposta e chegarão com facilidade à Cidade Alta."

Ah, não, meu sabichão! Os puteiros estavam posicionados em todos os pontos cardeais, em toda possível subida, em volta de escarpas, rampas e ladeiras, de norte a sul, de leste a oeste, formando um cordão de isolamento isento de trégua e relaxamento. E era já!

Veja como funcionava o mágico anel protetor.

Se os jejuadores tomassem a Ladeira da Montanha para atingir a Praça Castro Alves, logo a meio da subida encontrariam instalações de preço médio, solidamente administradas. Assim era o Setenta-e-Três, sob a orientação de Anália e de Marlene Boca-de-Calçola. Logo a seguir e ainda mais prestigioso, o Meia-Três. Montanha, 63. Uma simples dezena, mas não fica devendo nada ao badalado Corrientes 348.

Uma barreira intransponível!

Diante dessa primeira derrota, se os assaltantes insistissem em colher suas frutas nas árvores da Cidade Alta e dessem a volta por Pernambués e Cabula para surpreender a urbe pela subida leste, seriam achacados por uma carestia franco-argentina, uns preços de tirar o couro.

É que na Ladeira da Praça, na primeira esquina, se apresenta de supetão o preço já salgado da Churrascaria Ide, um puteiro com ares de restaurante fino. Subindo, mas ainda ao pé da ladeira, está a luxuosa Casa das Francesas, cheia de *bonjour*, *bonsoir* e mais truques outros de bolso esvaziar. Maquiagem, lantejoulas, crepes e uh la-lá!, valha-me Nossa Senhora! Vizinhas

Pescados na hora
três quilos e meio bem pesados
vai aí, doutor?

Pescados ahora
tres quilos y medio bien pesados
¿No quiere llevarlos?

Fresh catch
Six pounds plus
Your order, Missus?

ficavam as Sinucas do Abel e, no andar superior, o Rumba Dancing, onde funcionava o cartão picotado. Se os jejuadores escapassem pelo sudoeste e conseguissem chegar à Praça Castro Alves, encontrariam, solene, o próprio poeta em sua estátua, dizendo com um gesto: "Ali é o Tabaris!" Agora sim, os invasores estavam perdidos. O Tabaris – atrás do Cinema Glauber Rocha – tinha cacife de cassino de Los Angeles, com uma orquestra espetacular, pista de dança e a presença nobre de moças da Argentina, cujo sucesso reverberava entre os ricos coronéis das fazendas de cacau de Ilhéus e Itabuna e até no sonho dos magnatas do gado em Feira de Santana. Além de *shows* dirigidos por Evandro Castro Lima e Clóvis Bornay. Você pode imaginar o preço desse negócio.

Como ao norte não havia possibilidade exeqüível de um ataque, pois a própria engenharia civil só conseguiu fazer a Avenida de Contorno depois de 67, se os pobres jejuadores quisessem fugir dessa subida tão dispendiosa e estafante, só lhes restava tentar a abordagem pela rampa sul.

Mas na rampa sul o buraco era mais embaixo, pois as defensoras tinham ali um tipo de *shopping* a céu aberto. Eram casas de preço mais em conta, arruadas por uma trama intrincada de becos, curvas e praças que centralizavam o nome geral de Pelourinho. (Isso mesmo, onde é hoje a sede do Olodum.) Neste sítio a defesa da cidade estava organizada para receber os invasores em estabelecimentos que abriam um leque de muitas escalas, variantes e coloraturas. Por exemplo, a inesperada oferta muito barata da Casa das Polonesas, polonesas da Polônia mesmo. Perto ficava o Buraco Doce, administrado por Elisa, que agia com pulso forte, já que a freguesia que procurava o melhor preço não tinha necessariamente a melhor educação.

Um segundo antes do primeiro
o couro lá embaixo todo tenso
espera o beijo da baqueta
primeiro, o primeiro... o primeiro
!!! BUM !!!

Un segundo antes del primero
el cuero allí debajo todo tenso
espera el beso de la baqueta
para el primero, el primero...
el primero
¡¡¡ BUM !!!

A second before the first...
The skins are down there, all tense
Waiting to be kissed by
the drumstick
For the first one, the first?... the first
!!! BOOM !!!

Descendo o Pelô se chegava ao Baixo Meretrício, ladeado pelo Taboão, onde morou Pierre Verger, ao desembarcar na Bahia nos anos 40. O ponto nevrálgico do Baixo Meretrício era a Rua Julião. Como Verger chegava em casa passando por essa rua, poderia testemunhar de onde Mary Quant havia tirado a idéia de sua famosa minissaia. As prostitutas da Julião costumavam ficar à porta para incentivar a clientela, e o tipo de saia que usavam era a mais lídima precursora da míni que se tornou moda no fim dos anos 60, mais de um quarto de século depois.

Como os parâmetros de uma pessoa civilizada são tão humanamente universais como aqueles que o espírito da Bahia admitia, Verger era presença querida na região e criou até um código para seus amigos intelectuais. Quando um deles perguntava pela morada do antropólogo a uma das precursoras da moda inglesa, ela poderia apontar a porta, e acrescentar a informação cifrada: "Aquela ali. Se o vaso estiver na janela, ele está em casa". Avizinhado, noutra travessa, ficava o Beco da Paz, onde exercia na cama aquela que Jorge Amado declarou ter sido o primeiro amor de sua vida.

O Cabaré de Zazá também ficava perto e dava permissão para Caribé pintar em suas dependências. Zazá, em sua cadeira de rodas, com aquele trato fino de veado civilizado, recebia Caribé com lhaneza e ralhava com suas meninas para que não se intimidassem diante de pincel tão famoso.

Em 67, quando saí de Salvador, esse anel de Nibelungo ainda prestava normalmente seus serviços e a Cidade Alta nem percebia sua proteção. Hoje, quando o usuário é mal atendido em tudo, pode se dizer que na época, sob esse aspecto, nunca se ouviu crítica à proteção que a urbe desfrutava.

E, na época, falar mal de uma dama do Meia-Três era cometer perjúrio.

Lugar incomum

A Bahia não exclui. Dorival Caymmi já consagrou a beleza de Itapoã, mas qualquer um pode Amaralina, ou arranjar um no Jardim dos Namorados. Nas ondas do Rio Vermelho pode mandar presente para Iemanjá, que influi muito na sorte da pessoa. Pode reverenciar os Orixás no Dique do Tororó e, se adotar o sincretismo, melhor consultar logo uma autoridade de terreiro, para que ela revele seu santo. Rico ou pobre, capitalista ou vagabundo, todo mundo tem seu santo. Depois da revelação, pode usar o colar: Oxóssi, Ogum; Oxalá ou outro. Se o santo não for revelado antes, o colar pode prejudicar.

Não gostando ou, como se diz, não sendo de santo, Chame-Chame pelo todo-poderoso no Jardim de Alá e regresse por Nazaré para obter Ajuda na Rua da Misericórdia, que lhe abre as Sete Portas da Saúde, pois é no Bonfim que se pede por uma vida nova.

E ainda tem outra! Em outro tempo, mas no mesmo lugar, existe outra Bahia. Para alcançá-la, você se concede a quarentena de um minuto inteiro no abismo do seu íntimo, faxina e refina o incesto da sensibilidade, palpita e entra no país mais estrangeiro que existe no Brasil – a vera Bahia.

Se eu fosse baiano de verdade diria, ainda mais grandiloqüente: ...você singra a síntese de seu íntimo, pisa no fio da sintonia fina que afina a décima sinfonia e de repente depara, no pátio do paraíso, com o país mais feliz do universo – a intra-Bahia – Univers'ahida para a humanidade.

É onde sua saliva já tem o gosto de outra saliva.

ARRASTÃO DA TIMBALADA | CARNAVAL DE LA "TIMBALADA" | "TIMBALADA" CARNIVAL RAVE

[p. 16]

Três listras até o negro
e arrasta-se pela quarta
a terça desamparada

Tres listas hasta el negro
y se arrastra por el miércoles
el martes desamparado

Three stripes to the black one
dragging itself to the Wednesday
the helpless Tuesday

ENCONTRO DOS TRIOS ELÉTRICOS | ENCUENTRO DE LOS *TRIOS ELÉTRICOS* | MEETING OF THE ELETRIC TRIOS

[p. 17]

Na quarta, o quarto volteio
enreda o redemoinho
e o quatro entra no trio

El miércoles, el cuarto volteo
enreda el remolino
y el cuatro entra en el trío

On the fourth (day of the week), the fourth roundup
entangles the whirlwind
and the fourth (day) is added to the trio

IGREJA DA ORDEM 3ª SECULAR DE SÃO FRANCISCO DA BAHIA | IGLESIA DE LA ORDEN TERCERA SECULAR DE SAN FRANCISCO DE BAHIA | CHURCH OF THE 3RD ORDER OF ST. FRANCIS OF BAHIA

[p. 20]

Senhora, que orgulho!
A outra não leva tudo assim a peito...

¡**Señora**, que orgullo!
La otra no lleva todo tan a pecho...

My Lady, all that pride!
The other one does not face it all as a-breast...

[p. 21]

Sim, sei; mas permaneço sério.

Sí, lo sé, pero permanezco serio.

All right, I know it; I am still serious.

[p. 22]

O crente fita mas não acredita.

El que cree ve, pero no acredita.

The faithful behold but do not believe.

ORDEM 3ª DO MONTE DE NOSSA SENHORA DO CARMO | ORDEN TERCERA DEL MONTE DE NUESTRA SEÑORA DEL CARMEN | 3RD ORDER OF OUR LADY OF CARMO'S HILL

Senhor!

¡**Señor**!

My Lord!

PALÁCIO DO RIO BRANCO | PALACIO DEL RIO BRANCO | RIO BRANCO PALACE

[p. 26]

Quase presas
do lado direito do palácio
um par de asas deseja.

Casi presas
al lado derecho del palacio
un par de alas desea.

Almost confined
to the palace, in their plight
a pair of wings would be a delight.

[p. 27]

Mas a escada eleva-se.

Pero la escalera se eleva.

But the stairs are raised up.

TAXI
MUSEU
DA CIDADE

PELOURINHO

Pedras, paredes e pretos são originais de fábrica.

Piedras, paredes y negros son originales de fábrica.

Cobblestones, colored walls, and black-colored people: its very nature.

Continental

Até os 60

principal ligação Cidade Alta-Cidade Baixa.

Hasta los 60

la principal conexión Ciudad Alta-Ciudad Baja.

Up to the 1960's

the major link between High City-Low City.

ELEVADOR LACERDA | ASCENSOR LACERDA | LACERDA LIFT

34

PASSARELA NO CENTRO DA CIDADE | PASARELA EN EL CENTRO DE LA CIUDAD | DOWNTOWN PASSAGE

Quando baiano tromba
pelo menos é na sombra.

Cuando el bahiano va “en tromba”
por lo menos es por la sombra.

If Bahians come clashing
at least it is refreshing.

IN
LOVING
MEMORY
OF
WILLIAM VENTRIS FIELD.
BORN 15th JULY 1860.
DIED 1 MARCH 1898.
FOR IN SUCH
AN HOUR AS
YE THINK
NOT THE
SON OF MAN
COMETH"

CEMITÉRIO DOS INGLESES | CEMENTERIO DE LOS INGLESES | ENGLISH CEMETERY

[p. 36]

A cruz recebe toda a luz
e contra os barcos
comanda as bananeiras

La cruz recibe toda la luz
y contra los barcos
comanda las bananeras

The cross is lit all across
while facing the boats
it rules the banana trees

CASTRO ALVES

[p. 37]

"**Ali** é o Tabaris!" [ver Prefácio, p.12]
"**Alli** es el Tabaris!" [ver Prefacio, p.97]
"**Tabaris** is over there!" [see Preface, p.102]

FAROL DA BARRA | FARO DE LA BARRA | BARRA LIGHTHOUSE

O farol aconselha:
olhar as pedras com cuidado
mas os baianos estão exagerando

El farol aconseja
que se miren las piedras con cuidado
pero los bahianos están exagerando

The lighthouse advises:
watch the rocks with a careful eye
but Bahians are going too far

FORTE DO FAROL | FUERTE DEL FARO | LIGHTHOUSE FORTRESS

Um forte
de pedra forte preso
numa corrente frouxa.

Un fuerte
de piedra fuerte preso
en una corriente floja.

A fortified
fort tied to
a loose chain.

SOLAR DO UNHÃO | TIERRA DE UNHÃO | UNHÃO MANOR HOUSE

A roda que move a humanidade.

La rueda que mueve la humanidad.

The wheel that makes humankind go round.

PONTA DO HUMAITÁ E MARINA DA RIBEIRA | PUNTA DE HUMAITÁ Y MARINA DE LA RIBEIRA | HUMAITÁ HEADWATER AND RIBEIRA MARINA

[p. 44]

Namorando, prédios se alevantam.

Enamorando, los edificios se levantan.

While dating, buildings are raised.

[p. 45]

O tronco também quer.

El tronco también quiere.

The trunk wants it too.

DIQUE DO TORORÓ E SOLAR DO UNHÃO | DIQUE DEL TORORÓ Y TIERRA DE UNHÃO | TORORÓ DYKE AND UNHÃO MANOR HOUSE

[p. 48]

Do que a mão do homem acrescentou
o mais eloqüente
autor: Tati Moreno

De lo que la mano del hombre acrecentó
el más elocuente
autor: Tati Moreno

From what man's hands added on
the most eloquent
author: Tati Moreno

[p. 49]

Eram igrejas particulares
de deuses particulares

Eran iglesias particulares
de dioses particulares

Those were private churches
of private gods

IGREJA DE SÃO FRANCISCO | IGLESIA DE SAN FRANCISCO | CHURCH OF ST. FRANCIS

"**Fujamos**, ó mãe! O luxo é porta do pecado."

"**Huyamos**, ¡Oh, madre! El lujo es la puerta del pecado."

"**Let** us run, oh, mother! Luxury is the door to sin."

TETOS DA IGREJA DE SÃO FRANCISCO E BASÍLICA | TECHOS DE LA IGLESIA DE SAN FRANCISCO Y BASÍLICA | CEILINGS AT THE CHURCH OF ST. FRANCIS AND BASILICA

[p. 52]

O ouro é humilde
não permite se apresentar sem
o mais rigoroso trabalho.

El oro es humilde
no permite presentarse sin
el más riguroso trabajo.

Gold is humble
and does not allow itself to be presented
if not through the most elaborate pieces.

[p. 53]

Se Hopkins tem razão
e o céu se fez à venda
façam suas ofertas: preces, penares, penitência.

Si Hopkins tiene razón
y el cielo está en venta
hagan sus ofrendas: rezos, súplicas, penitencias.

If Hopkins is right
and the sky has set itself for sale
make your offers: prayers, pain, penitence.

IGREJAS DO BONFIM E DA NOSSA SENHORA DO ROSÁRIO DOS PRETOS| IGLESIAS DEL BONFIM Y DE LA NUESTRA SEÑORA DEL ROSARIO DE LOS NEGROS | BONFIM CHURCH AND CHURCH OF OUR LADY OF BLACKS' ROSARY

[p. 56]

É a maior aspiração
de fé na Bahia:
um bom fim.

Es la mayor aspiración
de fe en Bahía:
un buen fin (*bom fim*).

The highest aspiration
of faith in Bahia:
a good end (*bom fim*).

[p. 57]

Três vezes se vê
que junto do grande
o pequeno se junta

Tres veces se ve
que junto al grande
el pequeño se junta

Three times to see
that the small ones
get together with the big ones

DO SENHOR DO BONFIM
DA BAHIA

9

ORDEM 3ª DO MONTE DE NOSSA SRA. DO CARMO | ORDEN TERCERA DEL MONTE DE NUESTRA SEÑORA DEL CARMEN | 3RD ORDER OF OUR LADY OF CARMO'S HILL

Para todo o apuro do ataque
que o todo-poderoso treina
toda paciência é pouca

Para todo el apuro de ataque
que el todopoderoso entrena
toda la paciencia es poca

To be up against the constant attack
our all-powerful coaches us for
no patience is enough

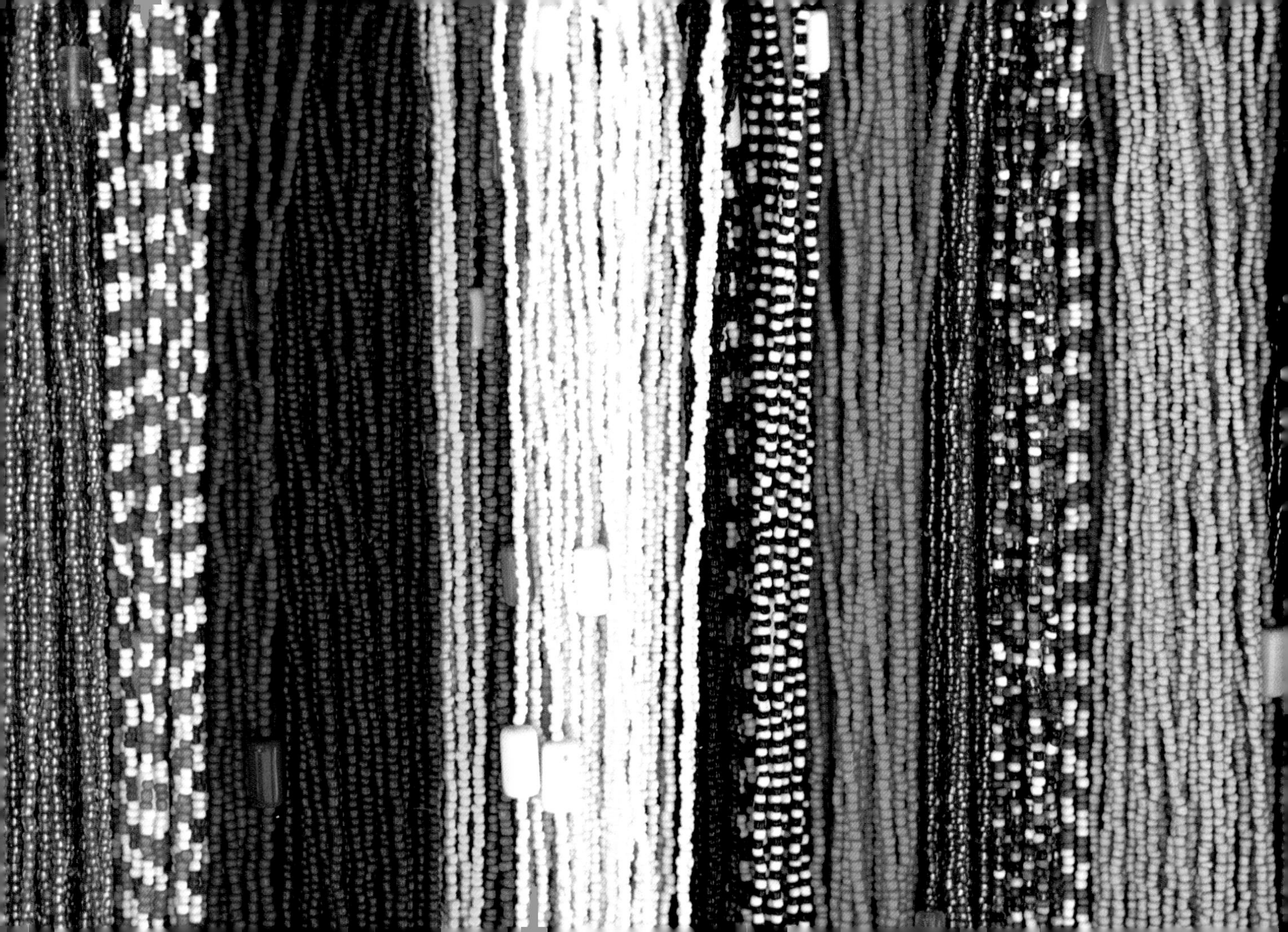

EX-VOTOS NA IGREJA DO BONFIM | EXVOTOS EN LA IGLESIA DEL BONFIM | VOTIVE OFFERINGS AT BONFIM CHURCH

[p. 60-61]

Nenhum deles escapou da fé.

Ninguno ha escapado de la fe.

None has escaped from faith.

Na falta de cabelos
um que botou moldura.

A falta de cabellos
uno que colocó una moldura.

For the lack of hair
one uses a frame.

OFERENDAS A IEMANJÁ NO RIO VERMELHO E CONTAS NA FEIRA DE SÃO JOAQUIM | OFRENDAS A IEMANJÁ EN RIO VERMELHO Y CUENTAS EN LA FERIA DE SÃO JOAQUIM | OFFERINGS TO IEMANJÁ AT RIO VERMELHO AND BEADS AT SÃO JOAQUIM FAIR

[p. 62]

O mar, correio melhor não há.

El mar: no hay correo mejor.

The sea – no better posting to be seen.

[p. 63]

Retas redondas.

Rectas redondas.

Straight, round.

PONTA DO HUMAITÁ | PUNTA DE HUMAITÁ | HUMAITÁ HEADWATER

Pai e Mãe se casam de novo –
e os filhos se fazem gotas
pra de novo habitar o útero.

Padre y Madre se casan de nuevo –
y los hijos se vuelven gotas
para habitar el útero otra vez.

Father and Mother marry again –
and children are turned into drops
to again dwell in uterus.

PRAIA DA RIBEIRA | PLAYA DE LA RIBEIRA | RIBEIRA BEACH

[p. 68-69]

Fastio no Éden.

Hastío en el Edén.

Ennui in Eden.

BAR DA PONTA | BAR DE LA PUNTA | HEADWATER CAFÉ

"**Saudoso** aquário de água"
assume a sombra em silêncio
nadando aquário de ar.

"**Nostálgico** acuario de agua"
asume la sombra en silencio
nadando acuario de aire.

"**Longed** for water aquarium"
shelters shadow in silence
swimming air aquarium.

ALHO
0,50
MILÕME
0,50
CATUABA
0,50
BABATENÃ
1,00
DANDA
0,50

ACARAJÉ, FEIRA DE SÃO JOAQUIM E SORVETERIA | ACARAJÉ, FERIA DE SÃO JOAQUIM Y HELADERÍA | ACARAJÉ, SÃO JOAQUIM FAIR AND ICE-CREAM PARLOUR

[p. 72]

Nove olhos em tela sobre óleo.

Nueve ojos en tela sobre óleo.

Nine eyes – oil on canvas.

[p. 73]

Bicudo balé.

Picudo ballet.

Beaky ballet.

[p. 74]

Em ritmado rigor.

En rítmico rigor.

Rigorous rhythm.

[p. 75]

Camarão, umbu,
serigüela e caju.

Gambas, umbu,
serigüela y caju.

Shrimp, umbu,
serigüela, cashew.

[p. 77]

Após matinê,
completava domingo perfeito
para o estudante.

Después del matiné,
se completaba un domingo perfecto
para el estudiante.

After matinée,
the perfect place for students to
close their Sunday.

Cubana
Sorveteria
SABORES
CHOCOLATE
CÔCO
AMEIXA
CAJÁ
PAVÊ
TIRAMISÚ
TAPIOCA
DOCE DE LEITE
NATA GOIABA
NAPOLITANO
CUPUACU
UMBÚ
CREME C/ PASSAS
AMARENA
MARACUJÁ
ABACAXI
BANANA CARAMELADA
FRUTAS VERMELHAS
MANGA
CAPUCCINO
MENINA BONITA
FLOCOS
AMENDOIM
MORANGO
MILHO VERDE
BAUNILHA
COPO 01 BOLA
COPO 02 BOLAS 2.80
CASCALHO 01 BOLA 2.10
CASCALHO 02 BOLAS
ISOPOR 07 BOLAS 9.30
CALDA 0.40
BOLINHO DA CUBANA 1.50
BANANA SPLIT
SUNDAE
DUSTY MILLER
CRUZ VERMELHA
SALADA DE FRUTAS
SALADA C/ SORVETE
ICE CREAM SODA
VITAMINA DE FRUTAS
VITAMINA MILK
SUCO DE SORVETE
MILK SHAKE
MALTADO
BATIDO COMPOSTO
GATORADE
SALGADO SIMPLES
SALGADO ESPECIAL

PAZ
PAZ

GENTE DA BAHIA | GENTE DE BAHIA | PEOPLE FROM BAHIA

[p. 78]

Cabeça bem lavada.

Cabeza bien lavada.

Nicely washed hair.

[p. 79]

Ele está concentrado
é no relógio de pulso.

Está concentrado en
el reloj de pulsera.

His actual focus is
his watch.

[p. 80]

Cabeças em sesta coletiva.

Cabezas en siesta colectiva.

Heads in a collective nap.

[p. 82]

O sol, o pão e o castigo.

El sol, el pan y el castigo.

Sun, bread, and punishment.

[p. 83]

Simples parece o capricho.

Sencillo parece el esmero.

Whimsical looking simple.

PAZ
E

BLOCO DOS FILHOS DE GANDHI | GRUPO CARNAVALERO *FILHOS DE GANDHI* | *FILHOS DE GANDHI* CARNIVAL CLUB

Ambos usam óculos.

Ambos usan gafas.

Both wear glasses.

OGUM

AZULEJOS DA IGREJA DA ORDEM 3ª SECULAR DE SÃO FRANCISCO DA BAHIA | AZULEJOS EN LA IGLESIA DE LA ORDEN TERCERA SECULAR DE SAN FRANCISCO DE BAHIA | TILES AT CHURCH OF THE 3RD ORDER OF ST. FRANCIS OF BAHIA

[p. 86]

Na Bahia até o mito
está armado a ferros
e anda para a direita.

En Bahía hasta el mito
está armado con hierros
y anda hacia la derecha.

In Bahia even myth
is armed with iron weapons
and moves towards the right.

[p. 87]

Mas nesta titanomaquia
os deuses negros prevaleceram.

Pero en esta titanomaquia
los dioses negros prevalecieron.

The black gods have prevailed
in this titanomachy.

PRAÇA THOMÉ DE SOUZA | PLAZA THOMÉ DE SOUZA | THOMÉ DE SOUZA SQUARE

Banco de 6 pés.

Banco de 6 pies.

Six-feet bench.

PORTO DA BARRA | PUERTO DE LA BARRA | BARRA HARBOUR

E a tarde no poente se retarda
para vê-lo em des-novelo de vermelho.

Y la tarde se retarda
en el poniente para ver su rojiza involución.

Afternoon delayed at sunset
to see the red color un-coloring.

Sucinto es el mito.

Un insulto sería creer en la gracia y gloria de Bahía hechas conforme aquellas tías cascarrabias que la epopeya de la oficialidad reza.

¡Injuria! Saltan al palco, con los verdaderos protagonistas, dos episodios que salvaron las costumbres morales y preservaron cada plaza, iglesia o monumento de los aquí fotografiados. Acontecimientos importantes, completamente ignorados por la historia oficial.

Muchos ni saben que, a pesar de que Brasil se independizó el 7 de septiembre, Bahía continuó su lucha contra las fuerzas portuguesas; y sólo consiguió la victoria el 2 de julio del año siguiente, 1823. Pero el gran héroe de esa victoria no fue el general Labatut ni cualquier otro oficial comandante de las fuerzas bahianas. Fue el Corneta.

Así: cuando los cuadros malamente militarizados que luchaban por Bahía estaban en desventaja total, prácticamente derrotados, Labatut, para evitar una matanza inútil, llamó al Corneta y le ordenó el toque de retirada. No se sabe por qué, el Corneta tocó "avanzar caballería", lo que era absurdo, ya que no había ninguna caballería. Pero las fuerzas portuguesas, al oír el toque, se asustaron. Se estableció tal desorden en sus filas que, atemorizadas, enseguida retrocedieron en desbandada, entregando las armas, en una rendición definitiva e incondicional.

Estaba proclamada la independencia de Bahía.

Esta es la verdad sobre la victoria del 2 de julio. Sin embargo, en lo que se refiere a la preservación de la independencia, la historia oficial también omite hechos relevantes. Tan relevantes que su simple narrativa podría explicar por que en Salvador, como se verá en esta sucesión de fotos, en todo momento se habla de la Ciudad Alta y de la Ciudad Baja. ¿Qué diablos significa eso?

Es que en la época de nuestra fundación era necesario encontrar un lugar estratégico para construir cualquier ciudad, a fin de protegerla.

En nuestro caso y ocasión, el principal peligro probablemente llegaría por el mar. Por tanto, el cuerpo noble del burgo – es decir, el palacio del gobierno, la Iglesia de la Sé y su curia, los edificios de la administración con sus altos funcionarios, dirigidos por los potentados de la corte, las Cámaras – todo se instaló sobre la elevación natural, encima de una escarpa de acceso muy difícil. De ahí, el nombre Ciudad Alta, disfrutando vigilante la amplia visión de la Bahía de Todos los Santos y del puerto. Allí, a nivel del mar, el agrupamiento de la población relacionada con el puerto, un vecindario y algunas villas de pescadores, pasó a llamarse Ciudad Baja.

Después de algunos siglos aquella estrategia de defensa se mostraría completamente inoperante y obsoleta. Véase, por ejemplo, durante la Segunda Guerra Mundial, cuando llegaban al puerto navíos abarrotados de marineros, americanos o autóctonos. Eran navíos amigos, sin duda, pero si las hijas de los magnates de la nobleza, si las mozas de la casa de Jesús, José y María, si las chicas del colegio de doña Anfrísea, si las jóvenes profesoras, si las propias religiosas, ocupadas con la educación y la salvación de esas almas – en fin, si todas las mujeres recibiesen de frente cada uno de esos navíos, considerando la abstinencia que la vida marítima impone a las tripulaciones, sería una temeridad. Por más que aquellas estuviesen protegidas detrás de muros, rejas y paredes e incluso más, por predicaciones morales, siempre acabarían sufriendo aquella devastación que toda ciudad portuaria conoce. Tales relatos llenan páginas de novelas y rollos de celuloide que Hollywood explotó durante la guerra. Véase también, en las películas de Rosselini, una Roma arrasada y sometida a todo tipo de vicisitudes.

Cuando los marineros avanzaban aceleradamente, armados por la fuerza de su prolongada contención; cuando marchaban contra la ciudad, a la caza obsesiva de cualquier cosa que vistiese una falda; cuando aquellos subían las escarpas para alcanzar la Ciudad Alta... ¡Oh, Dios! Salvador estaría perdida, si no fuese creada, urgentemente, una nueva y eficaz estrategia defensiva.

Piensen en aquel grupo sediento subiendo jadeantes en la dirección correcta, en el desiderátum exacto, hacia lo alto, hacia el blanco. Hacia el peludo púber que cualquier falda, en su impericia de fracasada convención civilizada, tuviese la ilusión de proteger.

¡Oh, Padre! Vea la ciudad en lo alto, desvalida, y ese temporal sin moral con el que el mar amenaza la bella tierra alzada al sol para servir al Salvador.

¡Y allí viene! Allí viene la turba con aquella fuerza sudorienta, dominando la sierra para el asalto. Allí viene, en el contorno de la subida absorto, aquel satisfecho Eros multiplicado y uno. Rebufa en él la sed de sacrificio, ritmando el fuelle bufante que silva en los caninos y jadea en los premolares. Piense en la rigidez de aquel montón de músculos curtidos a sal y sol; piense cada una de aquellas alas de piernas entroncadas en el atropello de las vagas; en los dedos callosos acostumbrados a coser las velas y el vellocino de Jasón, mientras en ráfaga nocturna se retuerce el soplo de Neptuno. ¡Y ya era!

Sea la hora de recordar aquel dicho popular e incoherente "¡sal de debajo que el diablo va a extrapolar!".

Era justamente en ese momento desesperado, con la turba ya a la cabecera de sus doseles, ya con las vírgenes trémulas en el horror de lo fascinante a gritos, procurando el llanto que protege los placeres abominables, probados y probando que lo contrario del abismo es una pila bautismal, donde el insípido traga al temperado para el intercambio de papeles que del inocente hace surgir el sanguinario. ¡Y ya era!

Era pues en este relámpago que es todo desgracia, plaga y maldición – a pesar de que la naturaleza sabia acepta todo en su embelasamiento – era justamente en esa hora del desastre consumado, en ese instante de destiempo en el que el gatillo apretado ya golpea la espoleta...

Las defensoras

¡Ahí, el milagro de lo divino! Ahí la ciudad del Salvador presentaba su resistencia. Era una nueva y eficaz estrategia de defensa, desavisadamente fortificada allí hacía mucho tiempo. Un desfiladero de las Termópilas, un círculo de tiza caucasiano, un anillo de Nibelungo, un lazo mágico de lupanares, instalados en la escarpa sin defensa o arrogancia. Sin galones o prepotencia, sin metales o alforjas militares, sin portales o porterías, en la escarpa libres y alados con sus puertas en alas abiertas.

Adosados triviales literalmente incrustados como un anillo en vuelta a la sierra, aprovechando cuando el serpenteo suavizaba el paredón amurado, que daba acceso a la parte elevada del burgo.

¿Y las defensoras? Nadie vería en ellas ni la sombra de un recluta, y mucho menos saber que cada una era Maria Quitéria o valía una Joana d'Arc, cuya llama de hoguera de sacrificio ella había convertido, por asunción y pose, en su propia arma de ataque, ya que tenía bajo su control un horno engatillado entre las piernas, casi externo, en la base frontera del hueso ilíaco. Con la ventaja de que allí cada María podía ser, ahora con orgullo, una Maria-batallón.

"¿Cómo?, ¡qué nada!", había dudado algún ingeniero militar, denigrando la eficacia de ese ingenio bélico. "Basta que los asaltantes tomen la subida opuesta que llegarán con facilidad a la Ciudad Alta."

¡Ah, no, querido sabio! Los burdeles estaban situados en todos los puntos cardinales, en cualquier posible subida, alrededor de las escarpas, rampas y laderas, de norte a sur, de este a oeste, formando un cordón de aislamiento sin tregua ni relajamiento. ¡Y ya era!

Vea como funcionaba el mágico anillo protector.

Si los ayunadores tomasen la Ladera de la Montaña para alcanzar la Plaza Castro Alves, enseguida a mitad de la subida encontrarían instalaciones de precio medio, sólidamente administradas. Así era el Setenta y Tres, bajo la orientación de Anália y de Marlene *Boca-de-Calçola*. Un poco más adelante, el todavía más prestigioso, el Sesenta y Tres. Montaña, 63. Una simple decena, pero no pierde nada para el elogiado Corrientes 348.

¡Una barrera insuperable!

Delante de esa primera derrota, si los asaltantes insistiesen en coger sus frutas de los árboles de la Ciudad Alta y diesen la vuelta por Pernambués y Cabula para sorprender la urbe por la subida este, serían sorprendidos por una carestía franco-argentina, unos precios desorbitados.

Es que en la Ladera de la Plaza, en la primera esquina, se presenta de sopetón el precio ya salado del asador, conocido como Churrascaria Ide, un burdel con aires de restaurante fino. Subiendo, más todavía al pie de la ladera, está la lujosa Casa de las Francesas, llena de *bonjour*, *bonsoir* y otros trucos para vaciar los bolsos. Maquillaje, lentejuelas, crepés y ¡uh la-lá!, ¡Sálveme Nuestra Señora! Vecinas quedaban las Sinucas de Abel y, en el piso superior, el Rumba Dancing, donde funcionaba el cartón picoteado. Si los ayunadores se escapasen por el sudoeste y consiguiesen llegar a la Plaza Castro Alves, encontrarían, solemne, a propio poeta en su estatua, diciendo con un gesto: "¡Allí está el Tabaris!" Ahora sí, los invasores estaban perdidos. El Tabaris – detrás del Cine Glauber Rocha – tenía categoría de casino de Los Ángeles, con una orquesta espectacular, pista de baile y la presencia noble de mozas de la Argentina, cuyo suceso reverberaba entre los ricos coroneles de las haciendas de cacao de Ilhéus e Itabuna y hasta en el sueño de los magnates del ganado en Feira de Santana. Además de *shows* dirigidos por Evandro Castro Lima y Clóvis Bornay. Usted puede imaginar el precio de este negocio

Como al norte no había posibilidad real de un ataque, pues la propia ingeniería civil sólo consiguió hacer la Avenida de Contorno después de 67, si los pobres ayunadores quisiesen huir de esa subida tan costosa y agotadora, sólo les faltaba intentar el abordaje por la rampa sur.

Pero en la rampa sur el problema era mayor, pues las defensoras tenían allí un tipo de centro comercial a cielo abierto. Eran casas de precio más asequible, distribuidas en una trama intrincada de callejones, curvas y plazas que centralizaban el nombre general de Pelourinho. (Eso mismo, donde hoy está la sede de Olodum.) En este sitio la defensa de la ciudad estaba organizada para recibir a los invasores en establecimientos que abrían un abanico de muchas escalas, variantes y colores. Por ejemplo, la inesperada oferta muy barata de la Casa de las Polacas, auténticas polacas de Polonia. Allí cerca estaba también el Buraco Doce (Agujero Dulce), administrado por Elisa, que actuaba con pulso firme, ya que la clientela que buscaba el mejor precio no tenía necesariamente la mejor educación.

Bajando del "Pelô" se llegaba al Bajo Meretricio, ladeado por el Taboão, donde vivió Pierre Verger, al desembarcar en la Bahía en los años 40. El punto neurálgico del Bajo Meretricio era la Calle Julião. Como Verger llegaba a su casa pasando por esa calle, podría atestiguar de donde Mary Quant había tirado la idea de su famosa minifalda. Las prostitutas de la calle Julião acostumbraban quedarse en la puerta para incentivar a la clientela, y el tipo de falda que usaban era la más legítima precursora de la minifalda que estuvo de moda al final de los años 60, más de un cuarto de siglo después.

Como los parámetros de una persona civilizada son tan humanamente universales como aquellos que el espíritu de Bahía admitía, Verger era una presencia querida en la región y hasta crió un código para sus amigos intelectuales. Cuando uno de ellos preguntaba por la morada del antropólogo a una de las precursoras de la moda inglesa, esta podría señalarle la puerta, y acrecentar la información cifrada: "Aquella allí. Si la maceta está en la ventana, él está en casa". Vecino, en otra transversal, quedaba el Beco da Paz, donde ejercía en la cama aquella que Jorge Amado declaró que había sido el primer amor de su vida.

El Cabaré de Zazá también quedaba cerca y daba permiso para que Caribé pintase en sus dependencias. Zazá, en su silla de ruedas, con aquel trato fino de marica civilizado, recibía a Caribé con sencillez y reprendía a sus chicas para que no se intimidasen ante un pincel tan famoso.

En 67, cuando salí de Salvador, aquel anillo de Nibelungo aún prestaba normalmente sus servicios y la Ciudad Alta ni percibía su protección. Hoy, cuando el usuario está mal atendido en todo, puede decirse que en aquella época, en ese aspecto, nunca se oyó una crítica a la protección que la urbe disfrutaba.

Y, en aquella época, hablar mal de una dama del Sesenta y Tres era cometer perjurio.

Lugar incomún

La Bahía no excluye. Dorival Caymmi ya consagró la belleza de Itapoã, pero cualquiera puede Amaralina, o conseguir uno en el Jardín de los Enamorados. En las olas de la playa de Rio Vermelho puede mandar uma ofrenda a Iemanjá, que influye mucho en la suerte de las personas. Puede reverenciar a los Orixás en el Dique del Tororó y, si adopta el sincretismo, es mejor consultar una autoridad de terrero, para que esta le revele su santo. Rico o pobre, capitalista o vagabundo, todo el mundo tiene su santo. Después de la revelación, puede usar el collar: Oxóssi, Ogum; Oxalá u otro. Si el santo no fuese revelado antes, el collar puede perjudicarlo

Aunque no le guste, como se dice, aunque no sea de santo, Llame al todopoderoso en el Jardín de Alá y regrese por Nazaré para obtener Ayuda en la Calle de la Misericordia, que le abre las Siete Puertas de la Salud, pues es en el Bonfim que se pide por una vida nueva.

¡Y todavía falta algo! En otro tiempo, pero en el mismo lugar, existe otra Bahía. Para alcanzarla, usted se concede la cuarentena de un minuto entero en el abismo do su íntimo, limpia y refina el incesto de la sensibilidad, palpita y entra en el país más extranjero que existe en Brasil – la verdadera Bahía.

Si yo fuese bahiano de verdad diría, todavía más grandilocuentemente : ...usted extrae la síntesis de su íntimo, pisa el hilo de la sintonía fina que afina la décima sinfonía y de repente se topa, en el patio del paraíso, con el país más feliz del universo – la intra-Bahía – Univers'alida para la humanidad.

Es donde su saliva ya tiene el gusto de otra saliva.

[p. 94]
Passeia também arrepio
na pele dos bequinhos.
Unhas de frio.

Pasea también escalofríos
por la piel de los callejones.
Uñas de frío.

Shivering also strolls on the skin
of dead end streets.
Winter nails.

[p. 104]
A Bahia promove:
papo do animal com o vegetal.

La Bahía promociona:
la charla del animal con el vegetal.

Bahia sponsors:
A conversation between an animal and a vegetable

The myth is concise.

Rather insulting it would be to believe Bahia's charm and glory have been built on the grumpy, old ladies epopeic officialism preaches.

Perjury! Two scenarios take up the stage – with real leading actors – to save moral customs and to preserve each square, each church or monument captured by the cameras in this book. Those scenarios – of key relevance – have been ignored by official history.

Many are not even aware that although Brazil made itself independent on September 7, Bahia kept on fighting against Portuguese forces. Victory was only confirmed on July 2, on the following year, 1923. The big hero in such victory was not General Labatut, though, or any other commander-in-chief with the Bahian forces, but the Trumpeter.

Therefore: when the poorly militarized soldiers fighting for Bahia were at stake – and practically defeated – Labatut summoned the Trumpeter and, in an attempt to avoid useless high number of casualties, retreat signal was ordered. For some unknown reason, the Trumpeter played "Forward, Cavalry!" which was utterly nonsense, since there was no cavalry at all. Portuguese forces were confused as they heard the bugle. The ranks were taken by such turmoil that a stampede was their fear reaction, after their weapons were laid down, in definite, unconditional surrender.

The Independence of Bahia had been proclaimed.

This is the true story about July 2 victory. However, for the sake of independence preservation, relevant facts are omitted by official history. So relevant are the facts that a sheer recounting of it would explain why one always talks about High City and Low City – as the illustrations will show. How the heck did that start?

Well, the story goes as follows: when our country was founded, some strategic location had to be selected before the city could be built.

As for our specific status and occasion, major threat would probably come from the ocean. So, bourg nobility – that is to say, Government Palace, See Church and Cure, administration buildings with high echelon executives led by Court potentates, and Chambers – was all established over the natural elevation, above a hardly climbable slope. And that is where the name comes from: High City, watchfully overlooking the ample vision of All Saints Bay and the port. At sea level, those associated to the port were soon aggregated by villages of fishermen. The grouping was named Low City.

A few centuries later such defense strategy would prove to be utterly inoperative and obsolete. At World War II, for instance, ships overloaded with sailors – whether Americans or Brazilians – would dock in. Friendly ships they were, of course, but if welcomed by the daughters of noble magnates, or by the young ladies living at Jesus-Joseph-and-Mary Home, by Dona Anfrísea High School girls, after the fasting period imposed by their life at sea, it would be sheer temerity. As protected as those girls and young ladies could be within walls, bars, walls, or even worse – by moral predications – they would eventually be submitted to the devastation every port city is more than aware of. Such reports have been filling the pages of novels, and the reels of movies exploited by Hollywood during the war. The same could be seen in Rosselini's movies depicting a Rome that had been broken into and submitted to all sorts of vicissitudes.

When sailors advanced in high speed, armed with the urge of their prolonged contention; when they marched against the city in their obsessive hunt for anything that had skirts on; when they climbed the slopes to reach the High City... Oh, Lord! Salvador (The City of the Savior) would be lost if some new, efficient defense strategy were not created.

Just think of that eager crowd breathlessly climbing in the right direction, following their desire – upwards, to their target. To the hairy teenager every skirt – in their inability failure of their civilized convention – had the wishful thinking of hiding.

Oh, Lord! Look at the city, up there, helpless; and then this moral-empty storm the sea theatens the beautiful land with – the sun-claiming land to serve our Savior.

And there they come! There comes the sweating-fated throng taking up the slope towards plundering. There comes, absent-mindedly, around the slope corner, the one and multiplied abundant Eros. Within him the thirst for sacrifice, in pace with his breathless bellows sibilating in his canines, and gasping in his premolars. Just think of how firm those sun-and-salt-exposed muscles are; or of how those legs meet to agitate the waving surface; or of the callous fingers used to sewing Jason's fleece onto sails, while Neptun's blow is twisted by nocturnal gusts. And up he goes!

It might be the time for the incoherent popular saying: "between the devil and the sea!"

It was exactly at this desperate moment, with the throng at the head of their canopies, with trembling virgins in yell and fascination horrors, while pursuing the tears that protect abominable pleasures, having proven and still proving that the abyss inner side is a baptism fountain, where the tasteless swallows the tasteful so that from role playing exchange innocence is turned into bloodsheding. And up they had gotten!

Amidst such lightening of full disgrace, imprecation and malediction – although the wisdom of nature melts it all in its stealthy flirtation – it was precisely at this point, when disaster materialized, at a timeless moment when the pressed trigger pokes the cap...

The deffenders

Then, divine miracle! Salvador resists. A new, efficient defense strategy, for long a fortification gone unawares. The gorge of Thermopilas, a caucasian chalk circle, a ring of the Nibelungs, a magic lace of whorehouses, all set on the slope – no heralds, no arrogance. No patents, no prepotence, no metals or military mobs, no portals or reception doorways on the free slopes, winged by their doors into open alleys.

Trivial two-story buildings literally incrusted, as a ring around the hill, from the time when the pathways softened the walled limits onto the higher portion of the bourg.

What about the defenders? No one would ever even remotely see a recruit, let alone knowing that one of them was Maria Quitéria – the counterpart of Joan of Arc – whose flame of the sacrificial fire she had converted, out of assumption and self-possession, in her own attack weapon, since she, herself, kept under control her own fire triggered between her legs, almost externally, on the front border of her ilium. Counting on the benefit that right there, every Mary could be – now with pride – a Mary-Batallion.

"Excuse me! No way!" will say any military engineer, to stain the efficiency of such bellicose device. "All the plunderers have to do is climb the opposite side and they will easily reach the High City."

Oh, no, Mr. smart aleck! The whorehouses were placed at all cardinal points, at every climbing side possible, around the cliffs, the slopes, the ramps; from North to South, from East to West, in truce-free and relaxation-free isolation. And up they go!

Check to see how the magic, protective ring worked.

If fasters took the Mountain Slope to reach Castro Alves Square, they would find mid-price, solidly run facilities halfway up: Seventy-three, run by Anália and Marlene *Boca-de-Calçola*. Right following, and even more prestigious, Sixty-three. Mountain, 63. Just two digits, but owing nothing to the so-famous Corrientes 348.

Unsurmounted barrier!

Faced by the first defeat, if plunderers insisted in picking their fruit from High City's trees and went round Pernambués and Cabula to catch the town by surprise from the East side, they woud be upset by the Franco-Argentinian inflated fees – all a rip-off.

Right on the Square Slope (Ladeira da Praça), on the first corner, one can suddenly find the "salty" barbecue price at Churrascaria Ide, a whorehouse keeping the looks of a refined restaurant. Up a little further, still on the slope, the luxury House of the French Ladies (Casa das Francesas), full of *bonjour*, *bonsoir*,and other tricks so that your pockets will be emptied very far. Make-up, sequins, crèpes, ooh la-la!, Joseph and Mary, protect us! Abel Snooker place (Sinucas do Abel) was their neighbor; on the second floor, the Rumba Dancing, where cards were punched. If fasters escaped by the Southwest side to reach Castro Alves Square, they would be faced by the solemn poet statue, in a gesture saying: "Tabaris is over there!" The invaders would really be lost, then. Tabaris – right behind Glauber Rocha Movie Theater – had the looks of a Los Angeles cassino, a spetacular orchestra, dance floor, and noble Argentinian young ladies whose success reverberated among rich colonels on Ilhéus and Ibatuna cocoa farms, and even in the dreams of cattle magnates in Feira de Santana. In addition to live preformances under the direction of Evandro Castro Lima and Clóvis Bornay. Now, you can guess how much that would cost.

As no attack would be feasible from the North – since civil engineering did not manage to build Avenida de Contorno until 1967 – if the poor fasting sailors tried to escape through such costly, exhausting slope, all they could do was try the ramp on the South side.

But the devil was much closer to the sea at South ramp side, since the defenders had some sort of open air shopping mall there – more affordable houses, all laid out in a web of dead ends, curves, and squares that had the central name of Pelourinho. (Right there, yes, where Olodum has their headquarter these days.) Defense was organized at the site, and invaders would be welcomed by a wide range of houses: of different levels, variants and colorings. For instance, the unexpected offer of the Polish Ladies' House (Casa das Polonesas). And they were really from Poland, too. Close to the Sweet Hole (Buraco Doce), run by Elisa with a firm hand, since patrons who tried the best price did not necessarily exhibit the best education.

Going down the Pelô one reached the Low Whorehouse District, sided by Taboão, where Pierre Verger used to live when he landed in Bahia back in the 1940's. The weakest point in the Low Whorehouse District was Julião Street. As Verger reached home through that street, he could witness where Mary Quant found inspiration for her famous mini-skirt. Julião Street whores would stay at the door to lure clients. The kind of skirt they wore was the most genuine forerunner of the mini that was turned into the trend in the late 1960's over one-fourth of a century later.

As the parameters of a civilized person are so humanely universal as those Bahia spirit has taken up, Verger was a well-liked presence in the area, and even created a code for his intellectual friends. When one of them asked one of English fashion trend forerunners where the anthropologist lived she would point the door, and add the codified information: "That one. If the vase is by the door, he is home." On a side street, the neighbor was Peace Alley (Beco da Paz), where the woman Jorge Amado declared to have been his first love practiced exercises in bed.

Zazá' Cabaret was also close, and allowed Caribé to paint at their facility. Zazá, in his wheelchair and in his civilized gay manners, hosted Caribé in a candid way, and would always rail against his girls, saying they should not be intimidated by such famous paintbrush.

In 1967, when I left Salvador, this Nibelungs ring still rendered services on a regular basis, and the High City was not even aware of its protection. Today, when users are ill-assisted in everything, one could say that at that time – in this respect – no complaint was ever heard on the protection the city counted on.

And at that point in time, any bad comment on one of the Sixty-three ladies was sheer perjury.

Uncommon location

Bahia is not excluding. Dorival Caymmi has already proclaimed the beauty of Itapoã, and anyone can Love Lina at Amar-a-lina, or find a lover at Lovers' Garden (Jardim dos Namorados). Or else, send Iemanjá some present on the waves at Rio Vermelho Beach, and then wait for changes in their good luck. One can reverence the Orixás, at Dique do Tororó, and if one embraces syncretism, one had better soon make an appointment with one of the sorcery authorities, so they can find out who their protecting saint it. Rich or poor, capitalistic or idler – everyone has their protective saint. After the saint is revealed, the person may wear the corresponding necklace: Oxóssi, Ogum; Oxalá or other. If the saint has not been revealed, the necklace may be harmful.

Those who are not fond of sorcery, or, as they are referred to, are not the "saint types", then go through Chame-Chame for their own prayers, and then across the all powerful Garden of Allah, returning through Nazareth to reach Help (Ajuda) at Mercy Street (Rua da Misericórdia), where the Seven Gates of Health (Sete Portas da Saúde) will be opened for them, since at Bonfim (Good Ending) one is to pray for a new life.

And there is more! At the same place, although at a different point in time, there is another Bahia! To reach out for it, you must give yourself the quarantine of one whole minute for a journey way deep into yourself. You clean out and clear up incestuous sensitivity, feel the beat, and enter the most foreign of all countries in Brazil – the true Bahia.

If I were a real Bahian, I would say, more grandiloquently: ...you sail the synthesis of your inner self, you step the fine tuning string of the tenth symphony, and all at once, you are faced with the happiest of all universes at Paradise's patio – Intra-Bahia – Univers'exhit for humankind.

It is where your saliva already tastes like new saliva.

Este livro foi composto em The Sans em novembro de 2005 e impresso pela Lis Gráfica sobre papel couché fosco 150 g/m²